FAIRYTAIL

HIRO MASHIMA

2

SOMMAIRE DU TOME 2

CHAPITRE 5 : DAY BREAK

EN FAIT, C'EST SUPER BIEN COMME BOULOT.

CRACACRAC

CRA CA CRAC

C'EST MON PREMIER BOULOT !

TSAP

C'EST NORMAL QUE JE SOIS EMBALLÉE !

ÉVIDEM-MENT !

ET MAINTE-NANT, ÇA TE TENTE BIEN ?

T'AS CHANGÉ D'AVIS ! ÇA TE DISAIT RIEN L'AUTRE FOIS...

CRA CA CR AC

CRA CA CRAC

ON EST D'ACCORD ...

C'EST LA RÉSIDENCE D'UN VIEUX PERVERS.

EN FAIT, IL FAUT ENTRER DANS UNE RÉSIDENCE ET Y PRENDRE UN BOUQUIN, C'EST ÇA ?

CRA CA

CRA CA CR

SHIRO-TSUME...

ON Y EST !

JE MONTERAI PLUS JAMAIS EN DILIGENCE.

HAN !

HAN !

PFOU...

PFOU..

TU DIS ÇA À CHAQUE FOIS.

ON PASSE À L'HÔTEL POSER NOS AFFAIRES !

BON, J'AI FAIM ! ON VA BOUFFER !

JE N'AI PAS FAIM, MOI.

POURQUOI TU NE MANGES PAS TON FEU ?

7

8

ズズ————ン!! TA—DAM!!

TOC
TOC

IL
DOIT
ÊTRE
RICHE.

C'EST VRAI
QU'IL EST PRÊT
À PAYER
200 000
JOYAUX
POUR UN
BOUQUIN.

NON,
C'EST CELLE
DU CLIENT.

C'EST
SUPERBE
COMME
RÉSIDENCE
!

C'EST
CELLE DU
COMTE
EBAR
?

POURRIEZ-VOUS
PASSER PAR L'ENTRÉE
DE SERVICE, JE
VOUS PRIE
?

?!

SILENCE
!

!!

ON EST
DE LA
GUILDE
DES
MAGI-
CIENS
DE...

QUI
EST
LÀ
?

PERSONNE N'A DEMANDÉ DE RENSEIGNEMENT SUR CETTE MISSION, TOUT LE MONDE ÉTAIT SUR SES GARDES.

AH BON ? POURTANT, C'EST PAS SOUVENT QU'ON TROUVE DES BOULOTS AUSSI BIEN PAYÉS !

JE NE M'ATTENDAIS PAS À CE QUE DES MEMBRES DE LA FAMEUSE GUILDE FAIRY TAIL ACCEPTENT CE TRAVAIL.

JE SUIS UN MEMBRE DE FAIRY TAIL, MOI AUSSI !

ET VOUS ?

ON ME SURNOMME NATSU SALA-MANDER.

VOUS ÊTES BIEN JEUNE POUR ÊTRE DÉJÀ UN MAGICIEN RENOMMÉ.

J'AI DÉJÀ ENTENDU CE NOM, EFFECTIVE-MENT.

BEUH... JE VEUX RENTRER CHEZ MOI...

ET VOUS AIMEZ VOUS HABILLER AINSI ? NON, NE DITES RIEN...

SNIF SNIF

HUM

DEUX MILLIONS ?! ÇA FAIT COMBIEN PARTAGÉ EN TROIS ?!

EUH... JE NE SAIS PAS !

VOUS N'ÉTIEZ PAS AU COURANT QUE J'AVAIS AUGMENTÉ LA PRIME ?

C'EST QUOI, CE DÉLIIIIIRE ?!

CALMEZ-VOUS UN PEU...

MAIS IL ME RESTE RIEN

T'ES PAS BÊTE, HAPPY !

C'EST FACILE. JE PRENDS UN MILLION ET TOI AUSSI ET LUCY PREND LE RESTE !

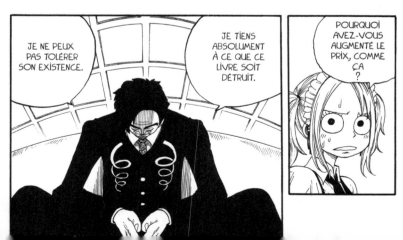

JE NE PEUX PAS TOLÉRER SON EXISTENCE.

JE TIENS ABSOLUMENT À CE QUE CE LIVRE SOIT DÉTRUIT.

POURQUOI AVEZ-VOUS AUGMENTÉ LE PRIX, COMME ÇA ?

QU'EST-CE QUE ÇA VEUT DIRE ?!

IL NE PEUT PAS TOLÉRER L'EXISTENCE DE CE LIVRE ?

...

TRÈS CHER...

EST-CE BIEN RAISONNABLE D'ACCORDER VOTRE CONFIANCE À CES JEUNES GENS ?

TAP TAP TAP TA

DEUX MIL-LIONS !

EBAR SAIT MAINTENANT QUE DES VOLEURS ONT TENTÉ D'ENTRER CHEZ LUI...

LA SEMAINE DERNIÈRE UNE AUTRE GUILDE A ÉCHOUÉ POUR LA MÊME MISSION.

JE LE SAIS...

MAIS...

VOUS AVEZ RAISON...

IL A FORCÉMENT RENFORCÉ LA SÉCURITÉ. IL DOIT ÊTRE SUR SES GARDES.

CE LIVRE DOIT ABSOLUMENT...

DISPARAÎTRE DE LA SURFACE DU GLOBE !

RÉSIDENCE EBAR...

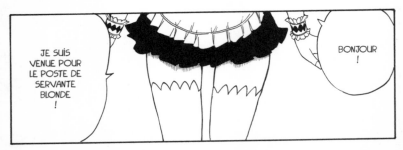

JE SUIS VENUE POUR LE POSTE DE SERVANTE BLONDE !

BONJOUR !

ENSUITE, JE TROUVE LE LIVRE, JE LE BRÛLE ET À NOUS LES DEUX MILLIONS !

QU'EST-CE QUE JE VAIS M'ACHETER ?

HÉ HÉ... C'EST TROP FACILE, IL SUFFIT QUE JE PLAISE AU COMTE !

EXCUSEZ-MOI ! IL Y A QUELQU'UN ?!

!!

CLONG

ASSURE, LUCY !

VAS-Y !

AH !

TADAM

LA PLACE DE SERVANTE ?

AH !

BOM

ZRIIII...

PLAM

CHAPITRE 6 : INFILTRATION DE LA RÉSIDENCE EBAR

FLAP FLAP

ATTENTION À L'ATTER-RISSAGE !

MERCI, HAPPY !

HOP !

TSAP

NE RANGE PAS TES AILES TOUT DE SUITE !

D'AC-CORD.

CHUUUT... !

C'EST POURTANT ÉVIDENT ! LE CLIENT VEUT QUE ÇA AIT L'AIR D'UN VOL !

POURQUOI ON DOIT ENTRER AUSSI DISCRÈTEMENT ?

TSAP

TU AS PEUT-ÊTRE DÉJÀ EU AFFAIRE À DES BANDITS ET À DES MONSTRES...

JE T'AI DÉJÀ DIT NON !

ET ON CRAME LE BOUQUIN !

NON !

C'EST PLUS SIMPLE AVEC MON PLAN, ON ENTRE PAR LA PORTE ET ON EXPLOSE TOUT CE QUI SE MET SUR NOTRE ROUTE...

MAIS LÀ, IL S'AGIT D'UNE PERSONNE INFLUENTE ET MÊME SI C'EST UN PERVERS, C'EST QUAND MÊME PAS L'INCARNATION DU MAL...

HÉ HÉ !

UN FOIS QU'ON AURA BRÛLÉ LE BOUQUIN, JE LUI RASE SA MOUSTACHE !

ÇA, IL VA ME LE PAYER DE M'AVOIR TRAITÉE COMME IL L'A FAIT !

C'EST PAS TOI QUI DISAIS QUE TU VOULAIS TE VENGER ?

SI ON FOIRE NOTRE COUP, ON AURA L'ARMÉE SUR LE DOS !

OUAIS !

C'EST MESQUIN !

PAF

C'EST QUOI, CETTE TÊTE ?!

AH... TU ME FAIS PEUR AVEC TON GRAND BRAS !

...

POUR LE MOMENT, ON ÉVITE LA VIOLENCE, COMPRIS ?

GLIC

VOILÀ !

BIEN JOUÉ, SALAMANDER !

BLOUP

PSHHH

NATSU, REGARDE !

ÇA DOIT ÊTRE UN DÉBARRAS.

WOUAH ! ÇA TE VA SUPER BIEN !

TING

LA FERME, LE CHAT !

LUCY ! REGARDE, MOI !

ON DOIT POUVOIR SORTIR PAR ICI. ON Y VA PRUDEMMENT...

BEN OUI !

LUCY, TU VEUX FAIRE TOUTES LES PIÈCES UNE PAR UNE ?

ESAP ESAP

RETIRE-MOI ÇA ! C'EST DÉGOÛTANT !

IL N'Y A PERSONNE.

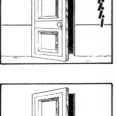

GNiizzi

FOU FOU

BLOUP

WOOOOOO

ON NE DOIT PAS SE FAIRE REPÉRER. ON DOIT ÊTRE DISCRETS COMME DES NINJAS !

OUAIS...

ÇA IRAIT PAS PLUS VITE DE DEMANDER OÙ EST LA BIBLIOTHÈQUE ?

COMME DES NINJAS ?!

ESAP ESAP

NINJA !!

PLAAAAAAM

VOUS ÊTES PLUS BRUYANTS QUE BRILLANTS...

TOUS LES DEUX...

HÉ ! HÉ...

ON NE DOIT PAS SE FAIRE PRENDRE !

OUAIS !

HEÏÏIN ?

PLAM

QU'ILS VIENNENT POUR VOIR !

ÇA CRAINT ! Y'EN A D'AUTRES QUI VONT RAPPLIQUER !

FAUT PARTIR ET EN VITESSE !

SILENCE ! ON SE PLANQUE !

OUAIS ! TU L'AS DIT...

WOUAH ! Y A UN PAQUET DE BOUQUINS !

EN FAIT, ON EST FICHUS !

PFOU ! ON A EU CHAUD !

COMMENT ON VA TROUVER CELUI QUI NOUS INTÉRESSE DANS TOUT ÇA ?

S'IL A TOUT LU, IL VAUT PEUT-ÊTRE MIEUX QUE CE QU'ON CROIT...

LE COMTE A UNE TÊTE D'ABRUTI, MAIS IL A L'AIR D'AIMER LES LIVRES...

C'EST NORMAL, NATSU !

LA VACHE ! Y A PAS D'IMAGES !

UN RECUEIL SUR LES DODOS !

J'AI TROUVÉ UN VIEUX LIVRE COQUIN !

ÇA MARCHE !

ON FOUILLE !

NOTRE CLIENT PAYE DEUX MILLIONS POUR LE DÉTRUIRE...

ET SON PROPRIÉTAIRE DIT QUE C'EST UN BOUQUIN MINABLE ?

?!

ET C'ÉTAIT CE BOUQUIN MINABLE !

UN BOUQUIN MINABLE ?

TAP

RADIN !

LA FERME, BOUDIN !

NON ! MÊME S'IL EST NUL, CE QUI EST À MOI EST À MOI !

JE PEUX LE PRENDRE, ALORS ?

LUCY !

C'EST LE BOULOT !

NON ! JAMAIS DE LA VIE !

SI JE LE CRAME, IL SERA PLUS À PERSONNE.

HEEEEE !

MMMH !

ET TUEZ-LES !

REPRENEZ-LEUR CE LIVRE !

C'EST ÇA, LES MAGES DE FAIRY TAIL ?

ILS SONT INCONSCIENTS.

DANS CE CAS, ELLE SERAIT À MOI !

TLIN-G

IL AURAIT PLANQUÉ UNE CARTE AU TRÉSOR ?!

UN SECRET ? MAIS JE N'AI RIEN REMARQUÉ EN LE LISANT !

VOUS, ÉLIMINEZ LE MARMOT !

BROOOOOOOM

CHANGEMENT DE PLAN ! JE M'OCCUPE DE LA FILLE !

ELLE EST PARTIE PAR LÀ !

ILS SONT DEUX ET DU LOUP DU SUD, EN PLUS !

JE RESTE AVEC TOI !

HAPPY ! ESSAIE DE RETROUVER LUCY !

ÇA CRAINT POUR DE BON...

JE TE JURE !

ENCORE UN CLIENT CAPRICIEUX, C'EST ÉPUISANT.

À DROITE

APPROCHE, MAGICIEN DU FEU !

SOIS PRUDENT, NATSU !

OUAIS ! JE TE CONFIE LUCY !

HAUT
GAUCHE DROITE
BAS

FLAP

NOUS AVONS TOUT VU DANS LA BOULE DE CRISTAL.

HIN HIN HIN...

COMMENT TU LE SAIS ?

HEIN ?

TU AS FAIT FONDRE LA FENÊTRE. TU ES DONC UN MAGICIEN DU FEU, JE ME TROMPE ?

NON, VOUS AVEZ BIEN VU...

DROITE

LA FILLE EST UNE CONSTELLATIONNISTE. ELLE EST LIÉE À 7 ESPRITS.

LE CHAT VOLANT A LE POUVOIR DE SE CRÉER DES AILES.

CHAPITRE 7 : LE POINT FAIBLE DES MAGICIENS

TA

P

ÇA NE VOUS DÉRANGE PAS DE BOUSILLER LA BARAQUE DE VOTRE PATRON ?

BA—OOM

WO—OOOM

AH BON ?! C'EST PEUT-ÊTRE VRAI POUR CERTAINS... MAIS LEUR VRAI POINT FAIBLE...

ILS ONT LE MAL DES TRANSPORTS ?

HAUT

KHE DROITE

BAS

CONNAIS-TU LE POINT FAIBLE DES MAGICIENS ?

DANS LE TEMPS, ON A CROISÉ UN MAGICIEN...

IL S'ÉTAIT ENTRAÎNÉ DES ANNÉES POUR MAÎTRISER UN SORT QUI PULVÉRISAIT LES OS DE SES ADVERSAIRES...

HAUT

DROITE

VOUS NE FAITES PAS LE POIDS DU POINT DE VUE DE LA FORCE ET DE LA VITESSE !

AVANT QU'IL AIT FINI DE LANCER SON SORT...

ON A DÛ SE BATTRE CONTRE LUI.

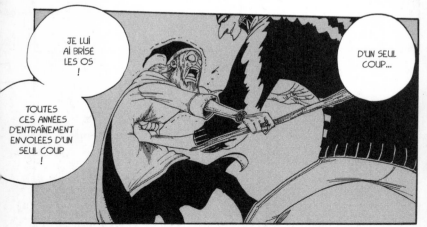

JE LUI AI BRISÉ LES OS !

TOUTES CES ANNÉES D'ENTRAÎNEMENT ENVOLÉES D'UN SEUL COUP !

D'UN SEUL COUP...

PEUT-ÊTRE BIEN...

TAP

HOP

TSAP

SANS LEUR MAGIE, ILS NE VALENT MÊME PAS UN TYPE NORMAL !

FOUTCH

C'EST ÇA, LE POINT FAIBLE DES MAGICIENS !

FSAH

HÊ !

HAUT

DROIT

BAS

MAIS VOUS M'AVEZ PAS TOUCHÉ UNE SEULE FOIS.

FRANGIN, SI ON N'Y ARRIVE PAS COMME ÇA...

ALLEZ ! VENEZ

C'EST VRAI QUE LA VITESSE À SON IMPORTANCE.

TU T'ES ENTRAÎNÉ À CE QUE JE VOIS.

50

VOUS
DISIEZ
QUOI
?

HEIN
?

CROA

C'EST
VRAIMENT
UN MAGICIEN
?!

HAUT

DROITE

BAS

C'EST...
IMPOS-
SIBLE
!

TSAM

HAUT

!!

CHE

DROITE

BAS

ÇA
SUFFIT
!

CE
COUP-LÀ !
C'EST LE
BON
!

MRONCH

HURLE-
MENT
DU DRA-
GON
!

BRAOOOOM

DROITE

C'EST
FINI
!

UN
SORT
DE FEU
!

ÇA Y
EST
!

FSHAAAAA

CUISINE
FLAMBÉE
!

C'EST UNE
TECHNIQUE
SPÉCIALEMENT
ÉTUDIÉE
POUR
CONTRER
LES SORTS
DE FEU
!

BRAOOOM

C'EST PAS POSSIBLE, MÊME POUR UN MAGICIEN DU FEU !

ÇA LUI FAIT RIEN !

HAUT

DROITE

HEIN ?!

VOUS N'AVEZ PAS ENCORE COMPRIS ?

CHAPITRE 8 : LUCY VS COMTE EBAR

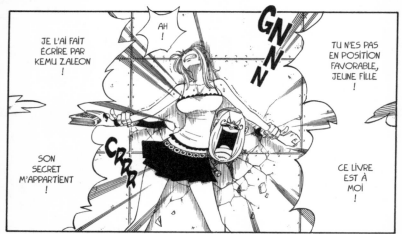

IL DIT QU'IL S'APPELLE HAPPY.

SORS DE LÀ !

CLING

BLABLELLE BLABY...

BLOB

BLA A BLELLE

C'EST QUI, CE CHAT ?

BLUIS BLIEN BLANS BLEAU...

BLAB BLAB

C'EST LES ÉGOUTS !

TS

DAYBREAK

A

TING

C'EST UN RENVERSEMENT DE SITUATION ! VOUS FERIEZ BIEN DE RENONCER À CE LIVRE ET PUIS N'ESSAYEZ PAS DE ME PRO-VOQUER.

JE MEURS D'ENVIE DE VOUS FRAPPER !

MAIS QUAND ON VEUT JOUER LES JEUNES FILLES LETTRÉES, IL NE FAUT PAS SE TROMPER DANS L'UTILISATION DES EXPRESSIONS !

POUR QU'IL Y AIT UN RETOURNEMENT DE SITUATION, IL FAUT QUE L'ÉQUILIBRE DES FORCES S'INVERSE !

OH ! UNE CONSTELLATIONNISTE ?!

HO ! HO...

67

FS HOU

JE VOULAIS QU'IL FASSE UN LIVRE SUR MOI QUI SUIS SI GÉNIAL...

N'IM-PORTE QUOI !

ET CET IMBÉCILE A REFUSÉ !

BROM

QUE S'IL NE L'ÉCRIVAIT PAS, JE PRIVERAIS SES PROCHES DE LEURS DROITS CIVIQUES !

ALORS, JE LUI AI DIT...

IL PEUT FAIRE ÇA ?

ÇA VEUT DIRE L'IMPOSSIBILITÉ DE REJOINDRE UNE GUILDE DE MARCHANDS OU D'ARTISANS...

UNE PRIVATION DE DROITS CIVIQUES...

FINALEMENT, IL A ÉCRIT CE BOUQUIN !

!!

TSAP

CE TYPE A IMPOSÉ CE GENRE DE POUVOIR DANS LE COIN !

IL Y A ENCORE DES RÉGIONS SOUS RÉGIME FÉODAL !

FOUTCH

FOUTCH

IL SE PRENAIT POUR UN ROMANCIER ! UN GRAND ÉCRIVAIN ! MAIS JE L'AI BRISÉ !

HO ! HO ! HO !

ALORS, JE L'AI ENFERMÉ !

MAIS ÇA M'AVAIT ÉNERVÉ QU'IL REFUSE !

PENDANT TROIS ANS ?!

VOUS L'AVEZ ENFERMÉ PENDANT TROIS ANS ! VOUS VOUS RENDEZ COMPTE DE CE QU'IL A VÉCU ?!

TAAP

AÏE !

TAP TAP TAP

AÏE !

VOUS AVEZ FAIT ÇA POUR SATISFAIRE VOTRE EGO ?!

MAIS DEVOIR ÉCRIRE UN BOUQUIN AVEC UN ABRUTI PAREIL COMME HÉROS...

ÇA HEURTAIT SON TALENT D'ÉCRIVAIN !

PAS DU TOUT ! IL A LUTTÉ CONTRE SON AMOUR-PROPRE !

S'IL N'ÉCRIVAIT PAS, SA FAMILLE ÉTAIT EN DANGER !

IL A PRIS CONSCIENCE DE MA GRANDEUR !

HOHOHO

ON NE PARLE PAS DE KEMU ZALEON !

J'AI LU CE BOUQUIN...

HEIN ?

TOUT EST ÉCRIT DEDANS !

COM- MENT...

SAIS-TU TOUT ÇA ?

IL A UTILISÉ SES DERNIÈRES FORCES...

BON SANG !

HEIN ?

MAIS COMME VOUS LE SAVEZ, KEMU ZALEON ÉTAIT UN MAGICIEN !

À PREMIÈRE VUE, C'EST UN NAVET, MÊME POUR UN FAN.

C'EST IMPOSSIBLE !

SI ON LÈVE LE SORT, ON PEUT LIRE SA HAINE CONTRE MOI ?

DAYBREAK

POUR ENCHANTER CE LIVRE !

TA DAM

IL MANQUAIT D'IDÉES MAIS IL A ÉCRIT CE BOUQUIN JUSQU'AU BOUT...

OH !

CANCER !

!!!

CLIC

DU CRABE !

CLIC

LUCY ...

FERME-LA, LE CHAT OU JE TE TRANSFORME EN CROQUETTES AU SAUMON !

TU ME LE PROMETS !

DIS BIEN CRABE, T'OUBLIES PAS !

HÉ ! TU PEUX DIRE CRABE À LA FIN DE CHAQUE PHRASE ?!

TU LE FAIS ? J'ADORE LE CRABE ?

VOUS M'AVEZ APPELÉE, MAÎTRE ?

VIRGO ! PRENDS-LUI CE BOUQUIN !

TADAM

AH !

AH !

AH !

HO-MARD !

ELLE ?!

C'EST UN ESPRIT ?!

FAIRY TAIL

CHAPITRE 9 : DEAR KABY

C'EST UN ROMAN D'AVENTURES DONT IL EST LE HÉROS.

LE COMTE EBAR A FORCÉ KEMU ZALEON À ÉCRIRE CE BOUQUIN.

ON NE DIRAIT PAS UN BOUQUIN DE KEMU ZALEON.

LE STYLE ET LES INTRIGUES SONT LAMENTABLES...

?!

DAYBREAK

KEMU-ZALEON

QU'IL RENFERMAIT UN SECRET.

C'EST POUR ÇA QUE JE ME SUIS DIT...

J'AI COMPRIS POURQUOI VOUS TENIEZ TANT À LE DÉTRUIRE.

...

C'EST POUR PROTÉGER L'HONNEUR DE VOTRE PÈRE.

VOUS ÊTES LE FILS DE KEMU ZALEON.

VOUS AVEZ DÉJÀ LU CE ROMAN ?

NON... MON PÈRE M'EN A PARLÉ...

MAIS... COMMENT AVEZ-VOUS...

SON FILS ?!

HEIN ?

ALORS, VOUS ALLEZ LE BRÛLER ?

OUI !

JE SAIS QU'IL EST MAUVAIS.

MON PÈRE ME L'A DIT.

JE N'AI PAS BESOIN DE LE LIRE.

PLAF

C'EST ÇA ?

VOUS ALLEZ LE CRAMER JUSTE PARCE QU'IL EST MAUVAIS ?

NATSU... TU N'AS PAS COMPRIS ? C'EST POUR PROTÉGER L'HONNEUR DE SON PÈRE QU'IL VEUT LE BRÛLER.

MAIS C'EST VOTRE PÈRE QUI L'A ÉCRIT !

C'ÉTAIT IL Y A TRENTE-ET-UN ANS.

OUI... MON PÈRE AVAIT HONTE DE L'AVOIR ÉCRIT.

88

JE ME SENS COUPABLE... SANS MES PROPOS, IL N'AURAIT CERTAINEMENT PAS COMMIS CE GESTE...

MAIS AVEC LE TEMPS, MA COLÈRE S'EST TRANSFORMÉ EN REGRET.

CRTCH

POUR EFFACER CETTE TACHE DE L'HONNEUR DE MON PÈRE.

C'EST POUR ÇA QUE JE VEUX DÉTRUIRE CE LIVRE...

TSAP

FLASH

DAYBREAK

COMME ÇA, PAPA...

ATTEN-DEZ !

DEAR KABY
?!

OUI...
LE SORT QU'IL
A LANCÉ PERMET
D'INTERVERTIR
LES LETTRES.

POUR
LE RESTE
DU LIVRE.

C'EST
PAREIL...

FLAP

FLAP

JE N'AI PAS SU...

COMPRENDRE...

MON PÈRE...

C'EST PEUT-ÊTRE ÇA QUI LES POUSSE À ÉCRIRE ?

LES ÉCRIVAINS SONT TELLEMENT COMPLIQUÉS...

EN MÊME TEMPS...

MERCI !

JE NE BRÛLERAI PAS CE LIVRE.

!!

MELON ! RENTREZ VITE...

CHEZ VOUS !

ALLEZ ! ON RENTRE !

HEIN ?

ILS N'ÉTAIENT PAS SI RICHES QUE ÇA...

C'EST POURTANT LE FILS D'UN ÉCRIVAIN...

MAIS TOUT S'EST BIEN FINI, NON ?

OUAIS !

ON N'A PAS REMPLI LE CONTRAT ! C'EST L'IMAGE DE FAIRY TAIL QUI EST EN JEU !

JE LE CROIS PAS ! C'EST DANS TES HABITUDES DE REFUSER DEUX MILLIONS DE JOYAUX ?

ON RENTRE À PIED ?!

AU FAIT, COMMENT TU AS SU POUR LA MAISON ?

HEIN ?

PEUT-ÊTRE...

JE L'AURAIS ACCEPTÉE !

VA SAVOIR.

MAIS ON AURAIT ACCEPTÉ LEUR DEMANDE MÊME SANS ÇA...

ILS ONT DIT QU'ILS AVAIENT EMPRUNTÉ LA MAISON D'UN AMI POUR FAIRE BIEN...

CE ROMANCIER ÉTAIT UN GRAND MAGICIEN.

OUI, IL ÉTAIT SI PUISSANT, QUE TRENTE ANS APRÈS, SA MAGIE OPÈRE ENCORE.

JE NE SUIS PAS UN ANIMAL !

ELLE N'AVAIT PAS LA MÊME ODEUR QU'EUX.

ÇA SE REPÈRE FACILEMENT.

JE L'ADMIRE VRAIMENT...

IL PARAÎT QU'IL ÉTAIT DANS UNE GUILDE QUAND IL ÉTAIT JEUNE...

ET QUE SES ROMANS SONT POUR UNE GRANDE PARTIE AUTOBIO-GRAPHIQUE.

DEARKABY

LE TRUC QUE T'AS PLANQUÉ L'AUTRE JOUR...

HEIN ?

ÉVIDEMMENT...

HE HE

AAAAAH !

C'EST LE ROMAN QUE T'ES EN TRAIN D'ÉCRIRE !

C'EST POUR ÇA QUE T'EN SAIS AUTANT SUR LES BOUQUINS !

ÇA AUSSI, ÇA ME DÉSESPÈRE !

SNIF

PERSONNE LE LIRA...

C'EST PAS ENCORE BON ! J'AURAIS TROP HONTE QUE QUELQU'UN LE LISE !

POURQUOI ?

SURTOUT N'EN PARLE À PERSONNE !

CHAPITRE 10 : LE MAGE À L'ARMURE

MMH...

JE VOUDRAIS CONNAÎTRE MON AVENIR EN AMOUR...

TUER LE MONSTRE D'UN VOLCAN...

RECHERCHE UN BRACELET MAGIQUE...

SOUHAITE DÉSENSORCELER UN BÂTON MAGIQUE...

TIENS, C'EST VRAI.

IL EST À UNE RÉUNION ORDINAIRE.

LE MAÎTRE N'EST PAS LÀ, EN CE MOMENT.

SI UN BOULOT TE TENTE, PRÉVIENS-MOI.

IL Y A VRAIMENT DE TOUT...

CE N'EST PAS UNE RÉUNION DU CONSEIL.

C'EST UN PEU COMPLIQUÉ, LAISSE-MOI T'EXPLIQUER...

C'EST UNE RÉUNION DES MAÎTRES DES GUILDES DE LA RÉGION.

UNE RÉUNION ORDINAIRE ?

STYLO DE LUMIÈRE
(OBJET MAGIQUE)

IL PERMET D'ÉCRIRE DANS LE VIDE. IL Y A 72 COULEURS DIFFÉRENTES.

TU VIENS JUSTE D'INTÉGRER LA GUILDE. TU NE CONNAIS PAS ENCORE LE MONDE DE LA MAGIE.

COUIC
COUIC
COUIC

READERS, TU ME PRÊTES UN STYLO DE LUMIÈRE ?

VOILÀ !

107

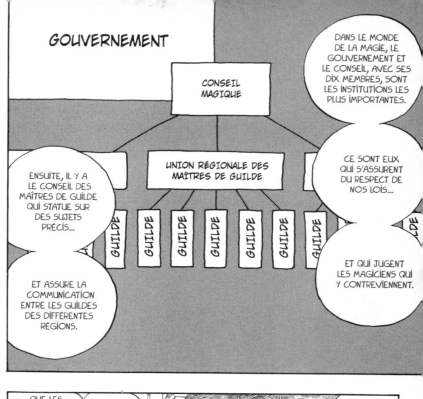

GOUVERNEMENT

CONSEIL MAGIQUE

DANS LE MONDE DE LA MAGIE, LE GOUVERNEMENT ET LE CONSEIL, AVEC SES DIX MEMBRES, SONT LES INSTITUTIONS LES PLUS IMPORTANTES.

UNION RÉGIONALE DES MAÎTRES DE GUILDE

CE SONT EUX QUI S'ASSURENT DU RESPECT DE NOS LOIS...

ENSUITE, IL Y A LE CONSEIL DES MAÎTRES DE GUILDE QUI STATUE SUR DES SUJETS PRÉCIS...

GUILDE GUILDE GUILDE GUILDE GUILDE GUILDE GUILDE

ET QUI JUGENT LES MAGICIENS QUI Y CONTREVIENNENT.

ET ASSURE LA COMMUNICATION ENTRE LES GUILDES DES DIFFÉRENTES RÉGIONS.

QUE LES GUILDES SONT EN RELATION LES UNES AVEC LES AUTRES...

PEU DE GENS SAVENT...

C'EST UN SACRÉ BOULOT...

?!

LA COMMUNICATION ENTRE GUILDES EST IMPORTANTE. SI ELLE SE DÉTÉRIORE...

ALORS...

AAAAAAH !

BOUH

LES TYPES EN NOIR ARRIVENT !

MAIS LES HOMMES EN NOIR EXISTENT VRAIMENT.

NE M'APPELLE PAS COMME ÇA !

LUCY LA TROUILLARDE !

C'EST PAS DRÔLE !

HAHAHA

BWAHAHA-HAHAHA ! LA TROUILLE QUE JE T'AI FOUTUE !

ILS NE RESPECTENT PAS LES LOIS.

OUAIS...

ILS N'APPARTIENNENT PAS À L'UNION DES GUILDES. ON LES APPELLE LES GUILDES CLANDESTINES.

ILS VONT VENIR TE RECRUTER, ALORS ?!

LUCY...
TU NE FERAIS
PAS UNE ÉQUIPE
D'AMOUR AVEC MOI ?
JUSTE NOUS DEUX,
CE SOIR...

IL PARAÎT QUE
T'AS FAIT DU
BON BOULOT,
LA DERNIÈRE FOIS.
TU VAS RECEVOIR
UN PAQUET
D'OFFRES.

LOKI
DE FAIRY TAIL

QUOI
?

NON...

GREY FULLBUSTER
DE FAIRY TAIL

...

ÇA TE
POSE UN
PROBLÈME
?

C'ÉTAIT
TOI,
ENFOIRÉ
?

GRRR

C'EST
NATSU
QUI LES A
BATTUS...

C'EST
GÉNIAL
!

T'AS BUTÉ
DEUX TYPES DE
LA GUILDE DU
LOUP DU SUD ET
UNE ESPÈCE
DE GORILLE
FEMELLE...

T'ES
VRAIMENT
MINABLE, LE
PERVERS
!

TU M'AS
TRAITÉ DE
MINABLE,
L'ALLUMETTE
?

QUOI
?

DIS...

MINA-
BLE...

AAAAAH !
JE LES AI
ENCORE
OUBLIÉES
!

GREY... TES
FRINGUES...

WOUSH

JE CROIS QU'IL A EU UNE HISTOIRE AVEC UNE FILLE DANS LE TEMPS ET IL NE S'EN EST TOUJOURS PAS REMIS.

LES CONSTELLA-TIONNISTES METTENT LOKI MAL À L'AISE.

QU'EST-CE QU'IL A ?

HEIN ?

HEIN ?

NATSU ! GREY ! ÇA CRAINT !

TIENS, LE REVOILÀ.

TAP TAP TAP

HEIN ?!!

ERZA EST REVENUE !

SALUT !

JE VIENS JUSTE D'ARRIVER.

IL EST EN RÉUNION.

LE MAÎTRE EST DANS LE COIN ?

AH BON...

COMME ELLE EST PAS MAL, J'AI DÉCIDÉ DE LA RAMENER ICI.

C'EST LA CORNE DU MONSTRE DONT JE ME SUIS DÉBARRASSÉE. LES HABITANTS DE LA RÉGION ME L'ONT OFFERTE.

QUOI ? ÇA ?

EUH... ERZA... C'EST QUOI CE TRUC ÉNORME ?

POUR PARLER D'AUTRE CHOSE...

LA VACHE...

LA CORNE DU MONSTRE QU'ELLE A BATTU ?

NON ! PAS DU TOUT !

ÇA TE DÉRANGE ?

VOUS AVEZ ENCORE CRÉÉ PAS MAL DE PROBLÈMES, JE CROIS...

LE MAÎTRE S'EN FOUT, MAIS PAS MOI !

WAKABA, TA CENDRE EST TOMBÉE !

VISITOR, SI TU VEUX DANSER, TU SORS !

OUPS !

KANNA, TU POURRAIS PRENDRE UN VERRE POUR BOIRE.

C'EST ERZA ! ELLE EST TRÈS FORTE !

QUI C'EST, CETTE FILLE ?

ELLE EN A DÉJÀ BEAUCOUP DIT...

JE DIRAI RIEN POUR AUJOURD'HUI... FAUT QUE JE M'OCCUPE DE VOUS TOUT LE TEMPS.

NAB... TU TRAÎNES ENCORE DEVANT LES PETITES ANNONCES. BOSSE UN PEU !

REQUEST BOARD

OUAIS !

AU FAIT, NATSU ET GREY SONT LÀ ?

F SHOU

C'EST ERZA.

C'EST UNE ESPÈCE DE CONTRÔLEUR GÉNÉRAL, C'EST ÇA ?

TU TE PRENDS POUR HAPPY, MAINTENANT ?!

T'ES POTE AVEC TOUT LE MONDE...

OUAICH !

HE HE

SALUT ERZA !

TU VOIS... ON EST SUPER POTES, MAINTENANT !

J'AI JAMAIS VU NATSU COMME ÇA !

OUAIS !

JE TE JURE QUE C'EST TOUJOURS LE CAS !

JE VOIS, MAIS MÊME LES MEILLEURS AMIS DU MONDE SE DISPUTENT DE TEMPS EN TEMPS.

EN TOUT CAS, ÇA ME FAIT PLAISIR DE VOIR QUE VOUS VOUS ENTENDEZ BIEN !

ELLE A DÉJÀ MIS NATSU K.-O. DANS UNE BAGARRE.

QUOI ? NOTRE NATSU ?!

HEIN ?

J'AI PAS BESOIN DE DESSIN.

EN PLUS, C'EST SUPER MOCHE !

JE VAIS TE FAIRE UN DESSIN.

NATSU ET GREY ONT PEUR D'ERZA.

HI HI

NATSU

ERZA

GREY

ÇA TOMBE BIEN QUE VOUS SOYEZ COPAINS, TOUS LES DEUX.

ELLE A À MOITIÉ TUÉ LOKI PARCE QU'IL AVAIT ESSAYÉ DE LA DRAGUER.

...

ET ELLE A FRAPPÉ GREY PARCE QU'IL SE BALADAIT À POIL.

WAOUH !

119

ÇA MAR- CHERA JAMAIS...

BLA

BLA

BLA

BLA

GLOUPS

AH

YAAAAH

AAAH !

QU'EST-CE QUE TU FAIS ?!

C'EST PAS VIABLE COMME ÉQUIPE ! JE VEUX PAS Y ALLER !

ÇA ME GONFLE DE PARTIR AVEC TOI !

RAH!

C'EST NUL.

OUAIS !

À PARTIR DE MAINTENANT, C'EST TOI NATSU.

PFOU

LA GUILDE DE MAGICIENS D'EISEN WALD.

CETTE FILLE EN ARMURE APPARTIENT À UNE GUILDE ?

J'EN SAIS RIEN.

ELLE ÉTAIT CANON.

ARGH ! J'AURAIS DÛ LUI PARLER !

C'EST PAS LE MOMENT DE TRAÎNER !

C'EST L'OCCA-SION OU JAMAIS !

C'EST PAS SI FACILE DE LEVER CE SORT. C'EST NORMAL.

COMMENT ?!

T'AVAIS AUCUNE CHANCE !

KAGEYAMA N'EST TOUJOURS PAS REVENU ?

CHAPITRE 11 : NATSU PREND LE TRAIN

126

MON PAUVRE ! MIRAJANE T'AVAIT MÊME OUBLIÉ !

TU N'ÉTAIS PAS PRÉVU DANS L'ÉQUIPE, TOI !

OUAIS !

EN FAIT, TU VOULAIS VENIR, PAS VRAI ?

JE NE POUVAIS PAS REFUSER.

BON SANG !

GLOUPS

AH ! DAME ERZA !

! PLAF

C'EST VRAIMENT ÉNERVANT...

POUR DORMIR, ÉVIDEMMENT, ABRUTI !

POURQUOI TU TE BALADES TOUJOURS AVEC TON MATELAS, PAUVRE NAZE ?

WOOOOOM

VOUS VOUS ENTENDEZ BIEN, EN FAIT.

TU TE FOUS DE NOUS ?!

HI HI

RAAAH

C'EST TROP DRÔLE !

HA HA HA HA

COPAINS

OUAICH !

ON S'ENTEND SUPER BIEN !

T'AS RIEN ÉCOUTÉ OU QUOI ?!

LUCY, QU'EST-CE QUE TU FAIS LÀ ?

TU VEUX UN POISSON ?

C'EST PAS MARRANT. POURQUOI JE DOIS VENIR AVEC VOUS ? J'EN AI MAL AU BIDE...

BEURK !

RA AH!

ELLE A...

TADAM

DÉSOLÉE DE VOUS AVOIR FAIT ATTENDRE.

UN PAQUET DE BAGAGES !

GASP

BROM BROM

MIRAJANE M'A DEMANDÉ DE VOUS ACCOMPAGNER.

JE M'APPELLE LUCY, JE SUIS NOUVELLE.

ENCHANTÉE !

HEIN ? TU ÉTAIS À FAIRY TAIL HIER, NON ?

TU AS DÉMOLI UN BONOBO GARDE DU CORPS, C'EST ÇA ?

C'EST DONC TOI QUI AS ÉPATÉ TOUT LE MONDE À LA GUILDE.

MOI, C'EST ERZA, ENCHANTÉE.

C'EST NATSU QUI L'A FAIT...

MAIS J'Y METS UNE CONDITION.

TU M'AS DEMANDÉ DE TE SUIVRE ALORS QUE JE NE SAIS MÊME PAS OÙ ON VA...

C'EST DANGEREUX ?!

CETTE FOIS, ÇA PEUT ÊTRE DANGEREUX, MAIS VU TA RÉPUTATION, ÇA DEVRAIT ALLER.

HUM...

JE T'ÉCOUTE ...

POUR TOI, ERZA, JE FERAIS N'IMPORTE QUOI MÊME GRATUITE- MENT !

AH ! ABRUTI !

LAQUELLE ?

TU ME FAIS PITIÉ, NATSU...

BEUUUUH

HAN !

HAN !

HAN !

HAN !

TA TA TC

TA TOM

BEUH...

TU ME DÉGOÛTES, VA AILLEURS...

C'EST TOUJOURS PAREIL... IL A VRAIMENT L'AIR MAL...

OU PLUTÔT, DESCENDS DU TRAIN ET COURS !

OUAIS !

VIENS À CÔTÉ DE MOI.

IL N'Y A QU'UNE SOLUTION...

JE DOIS BOUGER AUSSI ?

POUF

!!! PAAAA

AM

ÇA VA MIEUX, NON ?

...

POUF

OUI, ÇA DOIT ÊTRE TRÈS BEAU !

IL Y A PLEIN DE SANG QUI GICLE...

CELUI DE SES ADVER-SAIRES !

SA MAGIE EST TRÈS BELLE !

APPELLE-MOI ERZA.

VOUS UTILISEZ QUEL TYPE DE MAGIE, DAME ERZA ?

TATAC

TATAC

AU FAIT...

TATAC

TATO

JE N'AI JAMAIS VU QUE LA MAGIE DE NATSU À FAIRY TAIL...

WOUSH

PAF

HUM...

AH BON ?

BOF... MOI, JE PRÉFÈRE CELLE DE GREY.

LES GLACES ? ÇA NE TE VA PAS SI BIEN QUE ÇA...

C'EST DE LA MAGIE DES GLACES.

WOUAH !

QU'EST-CE QUE TU VEUX DIRE ?

AAAH, J'AI COMPRIS !

LE FEU...

LES GLACES...

QUELLE IMPORTANCE, ON S'EN FOUT UN PEU, NON ?

...

C'EST ÇA, GREY ?

C'EST POUR ÇA QUE VOUS ENTENDEZ AUSSI MAL !

C'EST TROP MIGNON TELLEMENT C'EST ÉVIDENT !

TU AS RAISON, JE VAIS VOUS EXPLIQUER.

C'EST BIZARRE QU'UNE FILLE DE TON GENRE DEMANDE DE L'AIDE.

TU POURRAIS NOUS EN DIRE PLUS, MAINTENANT, ERZA.

C'EST QUOI, CETTE HISTOIRE ?

TATAC

TATAC

TATOM

TATAC

IL Y AVAIT DES TYPES LOUCHES...

JE ME SUIS ARRÊTÉE DANS UNE AUBERGE À MAGICIENS À ONIBUS.

JE RENTRAIS DE MA DERNIÈRE MISSION...

136

C'EST CE QUE J'AI CRU AU DÉPART...

C'EST PEUT-ÊTRE LEUR BOULOT, RIEN DE PLUS.

CES TYPES, QUE TU CONNAIS PAS, PARLAIENT JUSTE DE DESCELLER UN SORT.

JE VOIS PAS LE PROBLÈME.

PSHOUUU

GNIII

GNIC

TATAC
TATAC
TATAC

PSHOU

JUSQU'À CE QU'ILS PARLENT D'ELIGOAL.

C'EST LE MEILLEUR MEMBRE DE LA GUILDE D'EISEN WALD. SHINIGAMI ELIGOAL...

SHINIGAMI ? LA MORT ?

C'EST UN SURNOM, PARCE QU'IL NE PREND QUE DES ASSASSINATS COMME BOULOT.

NORMALEMENT, LE CONSEIL A INTERDIT CE GENRE DE MISSION, MAIS EISEN WALD FERAIT N'IMPORTE QUOI POUR DE L'ARGENT.

DU COUP, ILS ONT QUITTÉ L'UNION, IL Y A SIX ANS...

AUJOURD'HUI, C'EST UNE GUILDE CLANDESTINE.

WELCOME TO ONIBAS

BROM

BROM

MATL

ÉVIDEM-MENT...

EUH... LUCY... J'AI L'IMPRES-SION QUE TU FONDS.

CA FAIT PEUR !

UNE GUILDE CLANDES-TINE ?!

ARGH

LA GUILDE A REÇU L'ORDRE DE SE DISSOUDRE.

SI... LE MAÎTRE D'EISEN WALD A ÉTÉ ARRÊTÉ...

VOUS AVEZ DIT QU'ILS AVAIENT QUITTÉ L'UNION, ILS N'ONT PAS ÉTÉ PUNIS ?

TATAC TATAC

TATAC TATAC

TATAC

BEUH

ON RENTRE ?

...

MAIS LA PLUPART DES GUILDES CLANDESTINES...

IGNORENT LES ORDRES DE DISSOLUTION ET CONTINUENT D'EXISTER.

JE M'Y ATTEN-DAIS !

GLOUB

J'AURAIS DÛ TOUS LES MASSACRER !

AAAAH !

WOOOOM

J'AI ÉTÉ STUPIDE... QUAND ILS ONT PARLÉ D'ELIGOAL...

ILS MIJOTENT QUELQUE CHOSE AVEC CETTE LULLABY.

J'AI DÉCIDÉ DE LES EMPÊCHER D'ARRIVER À LEUR FIN.

CES TYPES TOUTE SEULE, NON ?

T'AURAIS PEUT-ÊTRE PU TE FAIRE...

OUAIS !

ON VA SE FAIRE EISEN WALD !

JE N'AU-RAIS PAS DÛ VENIR...

C'EST DE PIRE EN PIRE... ON DIRAIT UNE FONTAINE.

MERCI HAPPY...

ÇA PEUT ÊTRE MARRANT.

OH NON !

FOUTCH FOUTCH

C'EST PAS VRAI ?!

ON VA COMMENCER LES RECHERCHES ICI.

HÉ !

VOUS SAVEZ OÙ EST LA GUILDE ?

ON A OUBLIÉ NATSU DANS LE TRAIN !

CETTE PLACE EST LIBRE ?

TATAC

HAN !

HAN !

HAN !

HAN !

TATOM

TATAC

TATOM

TATAC

VOUS N'AVEZ PAS L'AIR BIEN.

ÇA VA ?

POUF

HOULÀ !

C'EST UNE GUILDE LÉGALE...

VOUS ÊTES DE FAIRY TAIL ?

JE VOUS ENVIE...

KAGEYAMA
MEMBRE DE EISEN WALD

144

CHAPITRE 12 : INCANTATION

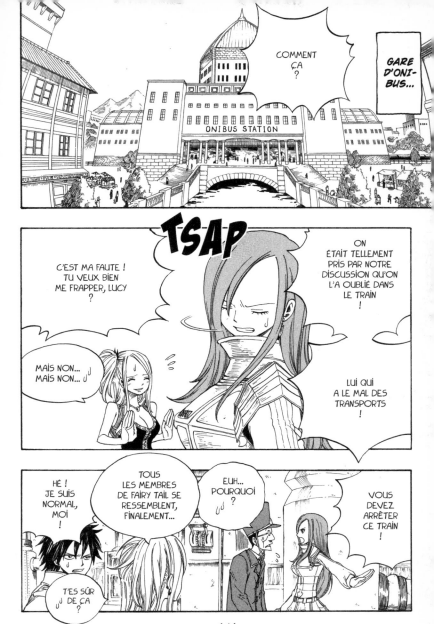

GARE D'ONI-BUS...

COMMENT ÇA ?

ON ÉTAIT TELLEMENT PRIS PAR NOTRE DISCUSSION QU'ON L'A OUBLIÉ DANS LE TRAIN !

C'EST MA FAUTE ! TU VEUX BIEN ME FRAPPER, LUCY ?

TSAP

MAIS NON... MAIS NON...

LUI QUI A LE MAL DES TRANSPORTS !

HÉ ! JE SUIS NORMAL, MOI !

TOUS LES MEMBRES DE FAIRY TAIL SE RESSEMBLENT, FINALEMENT...

EUH... POURQUOI ?

VOUS DEVEZ ARRÊTER CE TRAIN !

T'ES SÛR DE ÇA ?

OUAIS...

C'EST N'IMPORTE QUOI !

TES FRINGUES !

Ah...

EMPORTEZ NOS BAGAGES À L'HÔTEL CHIRI.

ON VA CHERCHER NATSU !

EUH... VOUS ÊTES QUI ?

ON LA VOIT DES FOIS DANS LES MAGAZINES. ELLE EST BELLE.

À FAIRY TAIL, MIRAJANE EST ASSEZ CONNUE, NON ?

TU LA CONNAIS ?

ET PUIS, IL Y A LA NOUVELLE...

JE NE CONNAIS PAS SON NOM, ELLE EST MIGNONNE AUSSI.

POURQUOI ELLE NE VIENT PLUS SUR LE TERRAIN ?

ELLE EST ENCORE JEUNE !

HI
HI

TATOM

HAN
!

HAN
!

TATOM

JE T'ENVIE
VRAIMENT.

IL Y A
BEAUCOUP
DE JOLIES FILLES
DANS LES GUILDES
OFFICIELLES.

TATAC

BON,
MAINTENANT...

ON
POURRAIT
PARTAGER
UN PEU.

IL N'Y A
AUCUNE FILLE
DANS LA
NÔTRE...

YAAAH !

COUP DE LATTE DANS TA FACE !

NE M'IGNORE PAS ! J'AIME PAS CETTE DISCRIMINATION À L'ÉGARD DES GUILDES CLANDESTINES.

HEIN ?

J'AIME PAS LES MECS QUI SE LA PÈTENT PARCE QU'ILS SONT D'UNE GUILDE OFFICIELLE !

ON PARLE BEAUCOUP DE FAIRY TAIL EN CE MOMENT.

À QUOI... TU JOUES... PAUVRE NAZE ?!

HAN !

HAN ! HAN !

PLAF

OH, MAIS TU PARLES ?

TU NE M'AS PAS BIEN ENTENDU ?

HA HA HA !

PLAF PLAF

TIENS ! TIENS !

PRENDS ÇA, LA MOUCHE !

TATOM

TU SAIS COMMENT ON VOUS APPELLE, NOUS AUTRES ?

LES MOUCHES...

BZZZ... BZZZ...

PSHO

OUPF

HA HA HA ! C'EST QUOI CETTE MAGIE ?

RAAAH !

WOOOOOM

GRRRR

SALETÉ !

TU VEUX TE BATTRE ?

NOUS SOMMES DÉSOLÉS POUR LA GÊNE OCCASIONNÉE.

DING DING DING

CHERS PASSAGERS, NOTRE ARRÊT EST DÛ À UNE ERREUR DE SIGNALISATION.

NOUS ALLONS REPARTIR AU PLUS TÔT.

ÇA CRAINT !

TU T'EN SORTIRAS PAS COMME ÇA, LA MOUCHE !

T'AS INSULTÉ EISEN WALD !

DING DING DING DING DING

PLTCH

TU M'ÉCHAPPERAS PAS !

JE ME TIRE !

ON SE RETROUVERA... MAIS PAS DANS UN TRAIN !

BURG !

TA TOM

TA TAC

TA TAC

TU T'ES FOUTU DE LA GUEULE DE FAIRY TAIL !

J'OUBLIERAI PAS TA TRONCHE, NON PLUS !

GRRR

DÉSOLÉ, NATSU !

QUOI ?!

PAUVRE NAZE !

LE CHOC M'A FAIT PERDRE LA MÉMOIRE. T'ES QUI ?

AÏEUH ! POURQUOI T'AS FAIT ÇA, NATSU ?

T'AS RIEN, C'EST LE PLUS IMPORTANT !

TIENS, T'AS RETROUVÉ LA MÉMOIRE ?

PARDON !

DÉSOLÉE !

HAPPY ! ERZA ! LUCY ! C'EST DÉGUEULASSE !

POURQUOI VOUS M'AVEZ LAISSÉ ?!

AÏE !

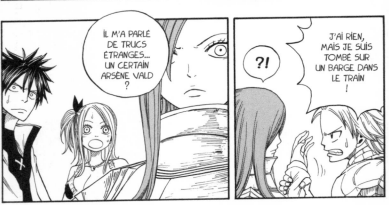

IL M'A PARLÉ DE TRUCS ÉTRANGES... UN CERTAIN ARSÈNE VALD ?

?!

J'AI RIEN, MAIS JE SUIS TOMBÉ SUR UN BARGE DANS LE TRAIN !

HEIN ?

ABRUTI !

JAMAIS ENTENDU PARLER...

C'EST EISEN WALD ! C'EST LES TYPES QUE JE RECHERCHE !

...

OUAH !

BROOM

PARCE QUE VOUS L'AVIEZ ASSOMMÉ VOUS-MÊME...

?!

POURQUOI TU NE M'ÉCOUTES JAMAIS QUAND ON TE PARLE ?

BOF... PAS GRAND-CHOSE...

QU'EST-CE QU'IL AVAIT DE SPÉCIAL ?

TSAC

S'IL EST DANS CE TRAIN, IL FAUT LE SUIVRE !

C'EST ENCORE UN TORDU...

UNE TÊTE DE MORT À TROIS YEUX...

JUSTE UNE FLÛTE AVEC UNE ESPÈCE DE TÊTE DE MORT...

CE N'EST QU'UNE LÉGENDE...

MAIS...

HUM... BON SANG...

QU'EST-CE QU'IL Y A, LUCY ?

UNE FLÛTE AVEC UN CRÂNE À TROIS YEUX ?

LULLABY, LA BERCEUSE... LE SOMMEIL... LA MORT...

SI CETTE FLÛTE EST LA FLÛTE MAUDITE...

CETTE FLÛTE, C'EST LA LULLABY !

ELLE EST MAUDITE ! C'EST UN SORT DE MORT !

JE N'EN AI ENTENDU PARLER QUE DANS LES LIVRES...

COMMENT ÇA, MAUDITE ?

QUOI ?

LA FLÛTE EST ENCORE PIRE !

OUAIS, C'EST UN SORT DE MAGIE NOIRE MORTEL POUR CELUI SUR QUI ON LE LANCE.

MAIS LA MALÉDICTION MORTELLE FAIT PARTIE DES MAGIES INTERDITES.

162

ON A SU QUE T'ARRIVAIS PAR CE TRAIN, ALORS ON EST VENUS TE CHERCHER, KAGEYAMA.

T'AS RÉUSSI À BRISER LES SCEAUX.

AAAAAAAAH

TAP TAP TAP TAP

C'EST DONC ÇA...

LA LULLABY...

LA FAMEUSE SOURCE DU SORT INTERDIT...

OH...

LA VOILÀ...

IL EN A FAIT UN TRUC TERRIBLE !

À L'ORIGINE, CETTE FLÛTE SERVAIT JUSTE À LANCER UNE MALÉDICTION MORTELLE.

MAIS LE GRAND MAGICIEN NOIR ZELEPH EN A RENFORCÉ LE POUVOIR.

OH !

AVEC ÇA, ON VA POUVOIR RÉALISER NOTRE PLAN !

BRAVO, KAGEYAMA !

LE COMBAT NE FAIT QUE COMMENCER !

C'EST PARTI !

ÇA CRAINT ! JE ME DEMANDE QUEL MAUVAIS COUP IL PRÉPARE ?!

UNE MALÉDICTION MORTELLE DE MASSE ?

SI ELIGOAL MET LA MAIN DESSUS...

CHAPITRE 13 : LA MORT RIGOLE TOUJOURS DEUX FOIS

GARE DE KU-NUGI...

BLA BLA

BLA BLA

BLA BLA

BLA BLA

J'AI LAISSÉ MA MARCHANDISE DANS LE TRAIN ! J'Y TIENS PLUS QU'À MA PROPRE ÉPOUSE...

JE LES CONNAIS ! ILS SONT D'UNE GUILDE CLANDESTINE !

IL Y AVAIT CE TYPE AVEC UNE GRANDE FAUX, C'EST LUI QUI NOUS A FAIT DESCENDRE.

ON DIRAIT...

ILS SONT DANS LE TRAIN !

BLA BLA

BLA BLA

BLA BLA

BLA BLA

168

ET C'EST RAPIDE.

PFOU
PFOU

ÇA NE PEUT PAS QUITTER SES RAILS, MAIS CE N'EST PAS SI DIFFICILE À VOLER.

POURQUOI ILS ONT PRIS UN TRAIN ? UN CARROSSE OU UN BATEAU, JE COMPRENDRAIS...

HAN !

...

L'ARMÉE EST LÀ, ILS DEVRAIENT BIENTÔT LES ARRÊTER.

FSAP

ILS ONT PEUT-ÊTRE PRÉPARÉ UN TRUC QUI DEMANDE D'ALLER VITE.

POURQUOI TU TE DESHA- BILLES ?

CE SERAIT BIEN...

HUM...

C'EST EMBÊTANT, ESSAYE DE T'EN SOUVENIR !

JE TE DIS QUE J'AI OUBLIÉ.

QUOI ?

MAIS J'AI OUBLIÉ CE QUE C'ÉTAIT.

J'AI L'IMPRESSION QUE J'AVAIS QUELQUE CHOSE À TE DIRE, LUCY...

JE ME SENS... MAL...

LAISSE-MOI PARTIR !

NATSU ! TU VAS TOMBER !

LUCY...

QU'EST-CE QUE C'ÉTAIT ?

BIZAR-RE...

POIS-SON...

J'EN VEUX...

LUCY...

BIZAR-RE...

BIZAR-RE ?

AH OUI... EN FAIT, JE SUIS PAS TROP BIEN.

...

C'ÉTAIT ÇA ?!

AH !

QU'EST-CE QUE C'EST QUE ÇA ?!

AH !

GARE D'OSHIBANA...

BLA BLA

BLA BLA

BLA BLA

BLA BLA

BLA BLA

BLA BLA

LA GARE EST FERMÉE JUSQU'À CE QU'ELLE SOIT TOTALEMENT SÉCURISÉE !

T'AS PAS ENTENDU ?

ON FONCE !

MAIS C'EST FERMÉ !

OUPF !

NATSU, NE VOMIS PAS SUR LES GENS !

SUITE AU DÉRAILLEMENT D'UN TRAIN, L'ACCÈS À LA GARE EST INTERDIT !

BLA BLA

BLA BLA

UN DÉRAILLE-MENT ?

ÇA RES-SEMBLE À UN ATTENTAT...

VEUILLEZ RECULER, JE VOUS PRIE. ÇA PEUT ÊTRE DANGEREUX.

175

LES VOILÀ !

CEUX DE FAIRY TAIL !

TADAM

ON VOUS ATTENDAIT.

ILS SONT VACHEMENT NOMBREUX...

ÉVIDEMMENT... ON T'AVAIT DIT QUE TU PARLAIS TROP FORT...

HÉ ! C'EST LA FILLE À L'ARMURE DE L'AUBERGE !

C'EST ELIGOAL ?

WOOOOO

C'EST QUE DES MÉCHANTS ! TOUS !

WAOH ! Y A DU MONDE !

ON VOUS TIENT, FAIRY TAIL !

TOUT SE PASSE COMME PRÉVU...

MALGRÉ QUELQUES PETITS CONTRE-TEMPS...

QUAND VOUS ENTENDREZ LE SON DE LA FLÛTE...

IL SERA DÉJÀ TROP TARD...

À SUIVRE...

LES ÉTUDES POUR LE LOGO DE FAIRY TAIL

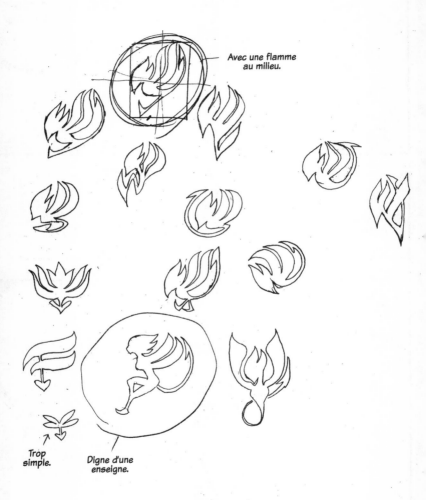

Avec une flamme
au milieu.

Trop
simple.

Digne d'une
enseigne.

Celle qui est dans le cercle en haut est celui que j'ai choisi.
Il y a eu pas mal d'esquisses. En bas à gauche, c'est le tout premier jet.

C'EST LÀ QU'EST CRÉÉ
FAIRYTAIL?

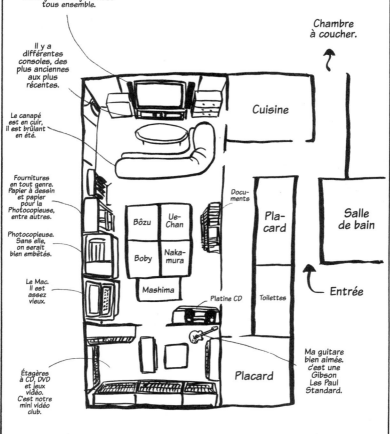

La télé nous permet de regarder des films ou de jouer aux jeux vidéo tous ensemble.

Chambre à coucher.

Il y a différentes consoles, des plus anciennes aux plus récentes.

Cuisine

Le canapé est en cuir, il est brûlant en été.

Fournitures en tout genre. Papier à dessin et papier pour la Photocopieuse, entre autres.

Documents

Photocopieuse. Sans elle, on serait bien embêtés.

Le Mac. Il est assez vieux.

Bôzu

Ue-Chan

Boby

Naka-mura

Mashima

Pla-card

Salle de bain

Platine CD

Toilettes

Entrée

Étagères à CD, DVD et jeux vidéo. C'est notre mini vidéo club.

Ma guitare bien aimée. C'est une Gibson Les Paul Standard.

Placard

VOILÀ L'ÉQUIPE DE FAIRYTAIL

BÔZU

(ON VOIT QUE C'EST UN MÉCHANT)

BOBY

(ON VOIT QUE C'EST UN VOYOU)

UE-CHAN

(ON VOIT QU'IL EST COSTAUD)

NAKAMURA

(ON VOIT QUE C'EST UNE FEMME QUI AIME LA NUIT)

L'AUTEUR

(UN ANCIEN LOUBARD, RANGÉ DES VOITURES)

ON A PAS MAL DIT DE CETTE HISTOIRE QUE C'ÉTAIT DE LA "YANKEE FANTAISY"... C'EST PEUT-ÊTRE À CAUSE DE L'ASSOCIATION ENTRE LES CRÉATEURS (DES YANKEE*) ET L'UNIVERS (DE LA FANTAISY)... MAIS EN VRAI, ILS SONT TOUS TRÈS SYMPAS !

* LES JAPONAIS APPELLENT « YANKEE », LES PETITS DÉLINQUANTS...

À PROPOS DES NOMS DES PERSONNAGES

Natsu signifie "été" en japonais. Le héros de ma série précé-dente* s'appelait Haru (printemps), je me suis dit qu'après le printemps venait l'été... Désolé... Au début, Happy s'appelait Freyr, j'avais tiré ce nom de la mythologie scandinave, mais c'était un peu pompeux, j'ai donc préféré prendre quelque chose de plus simple. Lucy vient de la chanson des Beatles (*Lucy in the sky with dia-monds*), je l'écoutais souvent quand je cherchais justement des noms. Je ne me souviens plus d'où vient le nom du Maître Makarof ; de mémoire, je voulais un nom à consonance russe. Mirajane était le nom du personnage d'un copain que j'ai rencontré sur un jeu en ligne. Pour Grey, j'ai oublié (rires). Erza vient du nom de l'héroïne de *Fairy Tale*, un de mes anciens projets. Loki vient de la mythologie nordique. Pour Elfman,

nom sympa. Pour Kan-
les arcanes (arukana
repense, il y a pas mal
naturellement. Ah oui,
Lucy pour une carte
cation de *Fairy Tail*.
l'ai faite, je ne m'en
l'autre jour, je l'ai
tiroir et je me suis
l'utiliser pour les
volume.

j'avais juste envie d'un
na, ça vient des cartes
en japonais). Quand j'y
de noms qui sont venus
j'avais fait ce dessin de
postale avant la publi-
Pourquoi est-ce que je
souviens plus, mais
retrouvée dans un
dit qu'on pourrait
pages bonus d'un

* IL S'AGIT DE LA SÉRIE RAVE.

POSTFACE

C'est déjà le deuxième tome ! Le temps file... J'ai été pas mal occupé ces derniers temps. La publication a commencé il y a pas très longtemps* et on en est déjà au deuxième tome ! Le temps que je réalise, on en sera au tome 10 ! Je rigole... Je ne suis même pas sûr qu'on aille jusque-là et puis j'ai décidé de ne plus penser au passé. C'est vrai, d'ailleurs à propos de passé, il n'en est absolument pas question dans ce manga (rires). Les auteurs que je connais et mes éditeurs me disent que cet univers offre beaucoup de possibilités, mais pour être franc, je n'y pense pas vraiment. Comment faire ? Pendant la préparation de la publication, j'ai passé mon temps à m'amuser et quand je me suis dit qu'il fallait y aller, j'ai dessiné sans utiliser mes notes. Du coup, je ne sais pas ce qui va se passer d'une semaine à l'autre. Mais j'avance sereinement sans savoir où je vais. C'est sympa aussi... Du coup, écrivez-moi pour me dire quelle mission vous voulez que Natsu et les autres remplissent, ce que vous voulez dans les bonus ou pour me donner votre avis sur la série.

ÉCRIVEZ À :
PIKA ÉDITION
19 BIS, RUE LOUIS-PASTEUR
92100 BOULOGNE
POUR PLUS D'INFORMATIONS : WWW.PIKA.FR

NOUS SÉLECTIONNERONS LES MEILLEURES PROPOSITIONS
QUE NOUS TRADUIRONS ET ENVERRONS À L'AUTEUR.

VOS LETTRES PASSERONT FORCÉMENT
ENTRE MES MAINS ! ALORS ÉCRIVEZ !
SALUT ! ON SE REVOIT DANS LE TOME 3...
IL VA Y EN AVOIR UN DE TOME 3, NON ?

* LA PRÉPUBLICATION A COMMENCÉ LE 2 AOÛT 2006 AU JAPON.

Titre original :
FAIRY TAIL, vol. 2
© 2007 Hiro Mashima
All rights reserved.
First published in Japan in 2007
by Kodansha Ltd., Tokyo.
Publication rights for this French edition
arranged through Kodansha Ltd., Tokyo.

Traduction et adaptation : Vincent Zouzoulkovsky
Création d'illustrations : Sébastien Douaud
Édition française
2008 Pika Édition
ISBN : 978-2-84599-945-9
Dépôt légal : septembre 2008
Achevé d'imprimer en Italie
par L.E.G.O. S.p.A. Lavis TN en janvier 2014

PAPIER À BASE DE
FIBRES CERTIFIÉES

Pika Édition s'engage pour l'environnement en
réduisant l'empreinte carbone de ses livres.
Rendez-vous sur www.pika-durable.fr

PiKa
EDITION
www.pika.fr